clever and funny,

wild and **free**.

When I grow up, I want to **be** ...

big and strong,

and **tall** as a tree.

When I grow up, I want to **go**
all over the world,
in sun and **snow**.

kind things, loving things . . .

just like **you**.

When I grow up, I want to **be** all the things that make me . . .

me!